Direction éditoriale : Galia Lami Dozo – van der Kar

Conception graphique et mise en page : Cathy Dufrane

Auteur : Geneviève De Becker

Lecture - Correction : Pascale De Nève

Couverture : Cathy Dufrane

Crédits photographiques :
JupiterImages Corporation • 123RF Limited • stockxpert
Dreamstime : Ken Moore / Tatiana Mironenko / Jeremy Bruskotter / Anthony Hathaway / Gail Johnson / Sharon Kennedy / Mark Hryciw / Erika Antoniazzo / John Anderson / Mikhail Blajenov / Nico Smit / Steffen Foerster / Jeffrey Skopin / Martin Kopecky / George Wood / Asther Lau Choon Siew / Lynette Lee hwee ling / Tatiana Morozova / Kelly Bates • Fotolia : Goran Bogicevic / David Granville / Norbert Jager / laurent nicolaon
Wildlife Pictures : D.Fleetham-OS / G.Lacz / AM Loubsens • DigitalVision • PhotoDisc • PhotoThema • Corbis

ANIMAUX
MARINS

Le milieu marin occupe la majeure partie de notre planète : en effet, les océans couvrent à eux seuls 71 % de la surface du globe. Bien que les poissons règnent en maîtres incontestés sur ce milieu, ils le partagent néanmoins avec tous les autres groupes d'animaux de la Terre.

Ces animaux se répartissent à différentes profondeurs ; de la surface aux abysses (de 1 000 à 6 000 m de profondeur) et encore plus bas (à plus de 6 000 m de profondeur), nous réservant certainement encore des surprises à découvrir sur une vie sans lumière, ni chaleur.

Certains vivent en pleine mer (dauphins, méduses), d'autres sur les fonds rocheux ou sableux (vers marins, étoiles de mer, crabes). D'autres encore nous offrent des constructions extraordinaires, comme les récifs coralliens qui hébergent une multitude d'animaux et de plantes toutes aussi belles les unes que les autres.

Parmi les animaux marins, on trouve l'ordre des cétacés. Ces mammifères parfaitement adaptés à la vie aquatique sont les seuls mammifères à passer leur vie entière dans l'eau. Ils comptent le plus grand des mammifères de la planète : la baleine bleue. Les limaces de mer nous offrent un spectacle de toute splendeur et haut en couleur, sans comparaison avec les limaces présentes sur la terre ferme.

Les étoiles de mer et les oursins, qui appartiennent au même groupe d'animaux, ne sont quant à eux présents que dans les milieux aquatiques et garnissent les roches et les fonds sableux. Les crustacés, les mollusques, comme la pieuvre, et les méduses se partagent tous les étages des milieux aquatiques, révélant des animaux d'une beauté exceptionnelle et parfois très originaux. Certains se nourrissent de plancton, d'autres de poissons ou d'algues, ou encore de détritus, comme les pagures qui débarrassent le milieu marin de ses déchets. Chaque espèce s'y reproduit de façon variée, que ce soit en expulsant des millions d'ovules dans l'eau qui, fécondés, donneront des larves livrées à elles-mêmes ou en maternant les œufs (pieuvre) ou les petits après leur naissance (dauphins, phoques).

La baleine

La baleine est un mammifère marin que l'on rencontre dans tous les océans de la planète. Souvent en groupe, elle communique avec ses congénères par des sons complexes qui s'entendent à des dizaines de km à la ronde. Elles sont regroupées dans l'ordre des cétacés et réparties en deux groupes. Le premier groupe comprend les baleines à fanons qui comptent parmi elles, les baleines grises et les rorquals (baleine bleue, baleine à bosse, voir photo de droite). Elles se nourrissent de petits crustacés et de petits poissons qu'elles filtrent à l'aide de leurs fanons (énormes lamelles qui jouent le rôle de tamis pour retenir le plancton). Avec ses 33 mètres de long, le rorqual bleu est le plus grand animal de notre planète. Il possède des yeux de 15 cm de diamètre et sa langue pèse 3 tonnes, c'est-à-dire le poids d'un petit éléphant. Le second groupe comprend les baleines à dents, comme les cachalots et les baleines blanches (narval, béluga). Elles se nourrissent aussi de crustacés et de poissons, mais les avalent sans les filtrer. Le narval se reconnaît à son énorme incisive spiralée qui forme une défense de 1 à 2,5 m de long sur le devant de sa tête.

Comme tous les mammifères, la baleine respire par ses poumons et allaite ses petits. Le baleineau naît après une période de gestation de 10 à 15 mois et, aidé de sa mère, il monte à la surface pour prendre sa première respiration qui lui évitera la noyade. Il restera près de sa maman qui l'allaitera de 6 mois à 2 ans.

Baleine à bosse

Le dauphin

Le dauphin fait partie, comme la baleine, de l'ordre des cétacés, mais appartient au sous-ordre des odontocètes. Il existe environ 32 espèces de dauphins qui se reconnaissent par un front bombé, un museau en forme de bec et une bouche étendue qui semble continuellement sourire. Comme tous les cétacés, il respire par des poumons en prenant l'air en surface par une narine, l'évent, qui se situe sur le dessus de sa tête. Les dauphins se répartissent au niveau des eaux côtières des régions tempérées et tropicales. Cet animal très sociable vit en groupe d'une dizaine d'individus, qui s'entraident si l'un d'entre eux est blessé, malade ou encore lors d'une naissance. Dans ce dernier cas, la mère est aidée par une femelle plus âgée. Lorsqu'ils chassent en groupe, ils encerclent un banc de poissons qu'ils font remonter à la surface. Le dauphin avale 10 kg de poissons par jour, sans les mastiquer. Il se nourrit aussi de crustacés et est lui-même la proie de son plus proche cousin : l'orque. En captivité, il est capable de communiquer avec l'homme par l'intermédiaire de gestes.

Le dauphin émet des sons sous forme de sifflements, grincements, dont certains à haute fréquence (ultrasons), qui ne sont pas perçus par l'homme. Les sons rebondissent lorsqu'ils rencontrent un obstacle, produisant un écho qui est alors perçu et analysé par le dauphin. Cela lui permet de sonder son environnement et ainsi de repérer ses proies, communiquer avec ses congénères, et se diriger en évitant les obstacles.

Dauphin tacheté
Dauphin à flancs blancs
Grand dauphin

L'orque

L'orque ou épaulard, est un cétacé qui fait partie, comme le dauphin, de la famille des delphinidés. C'est le plus grand de cette famille : un mâle peut mesurer plus de 9 m de long et la femelle plus de 8 m. Contrairement aux autres dauphins, il a une tête arrondie qui ne se termine pas en forme de bec. Il se reconnaît facilement à sa robe noire et blanche, sa tache blanche au-dessus de chacun de ses yeux et son énorme nageoire dorsale qui peut atteindre 2 m de haut chez un mâle adulte. Pouvant atteindre la vitesse de 65 km/heure, c'est l'un des cétacés les plus rapides. On le rencontre dans les eaux côtières de la plupart des mers froides. Redoutable chasseur, il s'attaque à peu près à tous les animaux qu'il rencontre : poissons et autres mammifères. Il est capable de se nourrir d'un dauphin et d'attraper un phoque en le happant sur une banquise ou sur une plage. Il vit en solitaire ou en groupe de 2 à 60 individus qui coopèrent lors de la chasse.
Par exemple, ils peuvent ainsi séparer le baleineau de sa mère et le « kidnapper » pour l'emmener dans le fond afin de le noyer.

L'orque, redoutable prédateur, peut malgré tout facilement être dressé à faire des sauts spectaculaires devant un public émerveillé. Il peut en effet sauter à 7 m de haut. Ces spectacles sont impressionnants de par la taille imposante, la beauté et les bonds spectaculaires de ces cétacés et en font l'une des attractions favorites des delphinariums.

Le phoque

Le phoque est un mammifère qui fait partie de l'ordre des pinnipèdes et appartient à la famille des phocidés. Très maladroit sur la terre ferme, il s'y déplace en se traînant sur son ventre à l'aide de ses membres antérieurs, pour venir se reposer sur une plage. Lors de la reproduction, les phoques se regroupent en grandes colonies d'où s'échappent leurs grognements. Mieux adapté à la vie aquatique que ses cousins, morses et otaries, il peut plonger à plus de 100 mètres de profondeur pour aller y chercher une proie (poissons et calamars). Il est lui-même la proie de l'ours blanc, de l'orque et du requin. L'éléphant de mer est le plus gros et le plus grand des phoques : un mâle peut, en effet, atteindre une taille de 6 m de long et peser 3 tonnes. Il vit sur les côtes Pacifique de l'Amérique du Nord et se reconnaît facilement grâce à son nez proéminant. Par contre, le léopard de mer, bâti pour la vitesse, est le plus fin de tous. Il se rencontre dans les mers et sur les banquises de l'Antarctique où il se nourrit surtout de pingouins. Le phoque-veau marin, quant à lui, est un petit phoque de l'Atlantique et du Pacifique Nord.

Parmi les bébés phoques, c'est celui du Groenland, le blanchon, qui est le plus connu ! Né après une gestation de plus de 10 mois, ce bébé, à l'allure de peluche, a une magnifique fourrure blanche qui lui permet de se confondre avec son environnement neigeux. Mais elle fait aussi son malheur car elle est très convoitée par les chasseurs.

Léopard de mer

Éléphant de mer

Phoque-veau marin

Le morse

De l'ordre des pinnipèdes, comme le phoque, le morse appartient à la famille des odobenidés, dont il est le seul représentant. Il ressemble aux otaries, qui comme lui, utilisent leurs 4 membres pour se déplacer sur la terre ferme, mais est malgré tout moins habile et moins rapide. Le mâle, énorme avec une peau fortement plissée, possède de longues défenses en ivoire (canines supérieures modifiées) qui peuvent mesurer 1 m de long. Il les utilise pour se hisser sur une banquise, pour se défendre ou comme d'une pioche pour trouver ses proies, mollusques, étoiles de mer et crustacés, qui vivent sur les fonds sableux. Il peut aller les chercher à 75 m de profondeur. Cet énorme animal a malgré tout ses prédateurs : ce sont les ours polaires, les orques et les Inuits. Ils vivent en groupe toute l'année et se rencontrent sur les banquises et les îles rocheuses de l'océan Arctique. Occasionnellement, on en trouve dans l'Atlantique Nord.

À la période des amours, rassemblés en grands groupes, les mâles dominants se disputent la proximité des femelles à l'aide, entre autres, de leurs défenses et se constituent un harem. Le morse devient alors territorial et défend ses femelles jalousement. La gestation dure environ 11 mois, au bout desquels naît généralement un jeune, qui peut être allaité durant 2 ans.

Le lamantin

Le lamantin appartient à l'ordre des siréniens qui ne compte que 3 espèces, dont 2 se rencontrent dans les eaux douces de l'Afrique occidentale et d'Amazonie et 1 dans les eaux côtières de l'Atlantique tropical. Il a un corps fusiforme et des membres antérieurs transformés en avirons. Il possède une nageoire caudale aplatie horizontalement et sa peau est nue comme celle des cétacés. Il n'a pas une très bonne vue dans l'eau et se sert de l'odorat et du toucher pour trouver sa nourriture qu'il récolte à l'aide de ses ongles présents sur ses membres antérieurs. La présence d'ongles nous indique qu'il est un ongulé et qu'il est donc, malgré son apparence, plus proche du cheval que du phoque. Il est nocturne et se nourrit essentiellement de végétaux aquatiques et d'algues. Il passe d'ailleurs la plupart de son temps sur le fond sableux, à brouter les algues et les racines, ce qui lui vaut souvent le nom d'emprunt de « vache de mer ». Il remonte toutes les 2 minutes à la surface pour venir y respirer.

Le lamantin vit en solitaire ou en groupes familiaux et peut se rassembler en hardes. Le couple est uni pour la vie et la femelle donne naissance à un seul petit tous les 2 ans. Après une gestation de 1 an, le jeune naît dans l'eau et est guidé vers la surface par sa mère pour aller y respirer. Il est ensuite allaité jusqu'à environ 18 mois.

La méduse

La méduse est un animal appartenant au phylum des cnidaires, comme les coraux et les anémones de mer. On compte environ 3 900 espèces de méduses. On peut les rencontrer dans toutes les mers et les océans tempérés et tropicaux, aussi bien en surface que dans les profondeurs des abysses. Elle est formée d'une ombrelle gélatineuse, sous laquelle et en son centre, se situe la bouche qui est entourée de bras. Tout le long du bord de l'ombrelle partent des tentacules urticants qui peuvent tuer des petites crevettes, des larves de crustacés ou des petits poissons, dont elle peut ensuite facilement se nourrir. Elle se déplace en contractant son ombrelle de façon rythmique. Ce déplacement crée des courants d'eau qui lui permettent de récolter sa nourriture en la piégeant dans ses tentacules. Certaines, comme la méduse géante présente en Arctique, possèdent plus de 10 000 tentacules qui peuvent mesurer 40 m de long et une ombrelle de 2 m de diamètre. Constituées de 95% d'eau, les méduses ne ressemblent plus à rien une fois échouées sur une plage au soleil.

La méduse commune se reconnaît facilement à ses 4 disques centraux bien visibles, qui sont ses organes reproducteurs. Cette méduse peut supporter des températures allant de 4°C à 31°C, et vit le long des côtes du monde entier. Sa taille varie de 5 mm à 45 cm de diamètre.

Méduse pointillée

L'ÉTOILE DE MER

L'étoile de mer appartient au même phylum que l'oursin, à savoir celui des échinodermes. Elle possède généralement 5 bras qui partent d'un disque central, dont le diamètre et la grosseur varient selon les espèces. Leur bouche est située du côté ventral, c'est-à-dire du côté du fond marin. C'est aussi de ce côté que l'on trouve de petits « pieds » (podias) terminés chacun par une ventouse et grâce auxquels elle peut se déplacer. Ses podias lui permettent aussi d'ouvrir les valves des coquillages dont elle se nourrit. Une fois la valve du mollusque ouverte, l'étoile de mer fait sortir son estomac et le digère à l'extérieur. Elle peut régénérer un bras dévoré par un autre animal et même reformer une étoile de mer entière à partir d'un bras. Sa reproduction est sexuée : au même moment, mâles et femelles expulsent leurs spermatozoïdes et leurs ovules, respectivement, et la fécondation se fait dans l'eau. Une petite larve nageuse sortira de l'œuf et se métamorphosera en une petite étoile de mer qui continuera sa vie sur les fonds marins.

Il existe une variété incroyable d'étoiles de mer, dont les couleurs sont diverses : jaune , orange, rouge, bleu, brun. Leur taille est aussi très variable : certaines mesurent quelques mm et d'autres 1 m de diamètre. Leur forme typique est celle représentée par l'étoile de mer ci-dessus, mais certaines ont une véritable forme de coussin.

LA CREVETTE

La crevette fait partie du phylum des arthropodes, c'est-à-dire des animaux qui possèdent des pattes articulées. Elles sont regroupées, avec les crabes, dans la classe des crustacés et comme eux, possèdent 5 paires de pattes. Leurs deux premières paires de pattes sont souvent modifiées en pinces. Les crevettes mesurent de quelques mm à 20 cm de long et possèdent une carapace solide et protectrice qui entoure leur corps et les oblige à muer lorsqu'elles grandissent. Celle-ci, parfois translucide, peut arborer des couleurs variées. Soit femelles, soit mâles, ces derniers peuvent parfois se reconnaître par leurs pinces plus grandes. Cependant, certaines sont hermaphrodites, donc à la fois mâle et femelle. Les œufs fécondés sont incubés sur la femelle : ce sont les petites boules rouges ou grises que l'on peut parfois voir, en très grand nombre (jusqu'à 1 500), sur la face ventrale de la crevette. La crevette actinicole, aux superbes couleurs, telle que celle des Caraïbes, vit dans une anémone de mer hôte.

La crevette de sang ou de feu est d'un rouge éclatant et fait partie des crevettes les plus courantes. On la rencontre principalement dans des endroits où la lumière est peu intense, comme dans les grottes. C'est une crevette nettoyeuse qui enlève les tissus morts et les parasites des poissons. Certaines crevettes nettoyeuses sont capables de nettoyer 300 poissons par jour, allant même jusque dans les branchies de ces derniers. Et si on lui présente la main, elle la nettoiera aussi.

Crevette actinicole

Crevette nettoyeuse de Bruun

LE CRABE

Les crabes sont des crustacés dont les deux premières pattes sont transformées en grandes pinces, parfois très asymétriques, comme chez le crabe violoniste. Ce dernier la secoue de haut en bas à l'approche d'une femelle et d'une autre façon s'il s'agit d'un rival. Leur abdomen, très court, est replié sous le reste de leur corps, dont la carapace a une forme carrée, ronde ou triangulaire. Les 3 500 espèces de crabes se rencontrent à peu près partout dans le monde, dans des habitats variés (sur un rocher, dans la zone de balancement des marées ou encore sur la terre ferme). Lorsqu'il est hors de l'eau, il garde de l'eau dans ses branchies, ce qui lui permet de continuer à respirer. Sa taille varie de 2 cm (crabe petits pois ou crabe des moules) à 50 cm (crabe géant d'Australie) de large. Les sons émis par un crabe peuvent consister en une vraie stridulation obtenue par frottement des pattes entre elles ou sur la carapace. Les œufs, dont le nombre peut aller jusqu'à 40 000, sont incubés sur le ventre de la femelle et y restent jusqu'à leur éclosion.

Le crabe rouge mesure environ 10 cm de large et vit dans des cavités humides au cœur de la forêt tropicale. Lors de la période de reproduction, il en sort et traverse les routes et les maisons pour migrer vers les plages. Grâce à ses pinces puissantes, il fouille et nettoie son environnement en déchiquetant les feuilles mortes et les restes d'animaux dont il se nourrit.

Crabe fantôme
Crabe violoniste
Crabe vert

La pieuvre

Les pieuvres ou poulpes sont des mollusques appartenant à la classe des céphalopodes. Il existe environ 150 espèces de pieuvres qui toutes vivent dans des zones tempérées ou chaudes. Leur taille varie de 3 cm à 9 m, selon les espèces. Comme tout mollusque, la pieuvre a un corps mou, mais elle possède en outre 8 longs bras ou tentacules qui entourent sa bouche, et 2 yeux proéminents. Sa bouche est pourvue d'un bec puissant qui lui permet de déchiqueter ses proies. Certaines ont un bec venimeux et sa morsure peut être fatale pour l'homme. Elle est considérée comme l'invertébré le plus intelligent. Elle possède une mémoire visuelle et tactile et peut même apprendre en observant ses congénères ; elle est en effet capable de dévisser le couvercle d'un bocal pour y récupérer le crabe qui y était enfermé ou encore d'apprendre à s'échapper d'un aquarium. C'est aussi la plus dévouée des mères, puisque vivant sur ses réserves pour surveiller ses milliers d'œufs, placés dans son abri rocheux, elle mourra d'épuisement et de dénutrition avant leur éclosion, qui a lieu 4 à 8 semaines plus tard.

Les pieuvres possèdent 8 longs tentacules dont l'un, chez le mâle, constitue l'organe de reproduction. Leurs bras leur permettent de se déplacer en s'accrochant aux rochers et de fouiller à la recherche de leurs proies. Les bras ont le pouvoir de se régénérer. Sectionnés, ils cicatrisent et repoussent.

La pieuvre commune peut atteindre 2 mètres, tentacules compris. Présente en mer Méditerranée et dans l'océan Atlantique, elle s'y rencontre jusqu'à 100 m de profondeur. Elle peut envoyer des jets d'encre en cas d'attaque, le temps qu'elle puisse s'enfouir.

La pieuvre est capable de changer de couleur et de passer ainsi d'une couleur jaune pâle au rouge-brun voire au noir. Elle peut également changer de texture pour prendre l'aspect d'un rocher. Ces modifications lui permettent de se confondre avec son environnement afin de mieux surprendre ses proies.

LA LIMACE DE MER

La limace de mer, également appelée nudibranche, est un mollusque qui appartient à la classe des gastéropodes, comme les escargots et les limaces. Comme ces dernières, elles n'ont pas de coquille externe, mais leur apparence est bien plus attirante. Elles font partie des animaux les plus colorés du monde sous-marin et ont des formes variées qui offrent un spectacle fascinant et d'une beauté exceptionnelle. Ces animaux, de 10 à 15 cm de long, sont hermaphrodites, c'est-à-dire à la fois mâle et femelle, mais doivent s'accoupler avec un autre de la même espèce pour pouvoir se reproduire. Ils possèdent des appendices bien visibles sur leur dos en forme de panache, qui jouent plusieurs rôles (branchies, organe de défense, évacuation des déchets). Le terme nudibranche vient d' « ouïe nue » en latin, rappelant le fait que l'animal possède souvent des branchies, non protégées, sur son corps. Elles possèdent la capacité de se régénérer. Elles vivent un peu partout et sur divers substrats (éponges, coraux, sous les pierres) où elles évoluent en rampant.

Au niveau de la tête, ils possèdent deux paires de tentacules aux rôles tactiles et olfactifs avec des petits yeux à la base. Ceux-ci leur permettent de détecter uniquement les variations de lumière.

LE CORAIL

Les coraux sont des animaux microscopiques qui vivent souvent en colonie pour former de superbes structures aux aspects (arbuste, boule, mur, plateau) et aux couleurs variés (rouge, orange, blanchâtre). Les vrais coraux vivent essentiellement dans les mers tropicales et sont formés d'animaux appelés polypes. Chaque animal ressemble à une anémone de mer en miniature qui serait entourée d'un squelette. Le corail fait d'ailleurs partie du même groupe que les anémones et les méduses : celui des cnidaires. Il se nourrit de zooplancton qu'il capture grâce à ses tentacules. Un polype se reproduit en bourgeonnant, ce qui au cours du temps, permet la formation de récifs coralliens. Ainsi, la structure solide est due aux milliers de squelettes qui s'accumulent au fur et à mesure que les animaux meurent. Ils peuvent également se reproduire de façon sexuée, produisant des œufs fertilisés par d'autres polypes et dont la larve se fixera à un support et pourra, par bourgeonnements successifs, reformer une colonie. Celle-ci reformera un corail de forme et de couleur spécifique.

Le corail cerveau est présent dans la région Indo-Pacifique. La colonie de polypes s'organise pour donner un corail dont la forme et les circonvolutions font penser à celles de notre cerveau. Il faut 20 ans au corail cerveau pour doubler de volume. Un corail cerveau de 5 m de large dont l'âge est estimé à 1 000 ans a été découvert au niveau de l'île Maurice.

L'OURSIN

L'oursin appartient au groupe des échinodermes, tout comme les étoiles de mer. Comme ces dernières, sa bouche se situe sur sa face ventrale mais les plaques osseuses de son squelette sont soudées les unes aux autres. De ce fait, son squelette arrondi peut se conserver une fois que l'animal est mort. Au-dessus de son squelette, il y a une couche de peau (il a donc un squelette interne) sur laquelle sont insérés ses piquants mobiles, qui tombent après la mort de l'animal. Certaines espèces sont herbivores, d'autres sont des mangeurs de sable ou d'autres encore se nourrissent d'animaux morts. Lors de la reproduction, les oursins femelles expulsent leurs œufs et les mâles, leurs spermatozoïdes dans l'eau. La fécondation a lieu dans l'eau et il s'ensuit la formation d'une petite larve nageuse qui se métamorphosera quelques semaines plus tard, sur un substrat, en un oursin. Les 950 espèces se rencontrent du rivage aux profondeurs abyssales dans les eaux chaudes tempérées et même polaires.

L'oursin-crayon se rencontre dans la mer Rouge et le Pacifique central, où il broute les coraux et les algues sur les rochers. Il possède des piquants épais en forme de crayon, de 10 cm de long en moyenne et dont la couleur varie du rouge au violet. L'oursin-diadème (photo de droite), vit dans les récifs coralliens tropicaux et a de très fins et longs piquants qui mesurent de 10 à 30 cm de long et dans lesquels certains poissons trouvent refuge. L'oursin commun a quant à lui des piquants d'environ 1,5 cm de long.

Oursin-diadème

Oursin commun

Le bernard-l'hermite

Le bernard-l'hermite est un crustacé bien particulier. En effet, c'est le seul crustacé à ne pas posséder de coquille au niveau de l'abdomen. Ceci le rend très vulnérable vis-à-vis de ses prédateurs. Pour pallier cette absence, il se réfugie dans une coquille spiralée de mollusque. Et lorsque l'on voit un coquillage bouger, il y a de fortes chances pour qu'il s'agisse d'un bernard-l'hermite qui se déplace avec sa coquille d'emprunt. Pour le vérifier, il suffit de regarder dans l'ouverture de la coquille si sa grosse pince s'y trouve. Pour se fixer convenablement dans la coquille, il s'y accroche par son abdomen. En raison de cette adaptation, ce crustacé a un corps asymétrique dont l'abdomen se termine en spirale. Il se nourrit de coquillages mais aussi d'animaux morts. De plus, c'est un excellent détritivore (il mange des restes de nourriture et des excréments de poisson), et il participe ainsi à l'élimination des déchets de la mer. Sa couleur et son aspect peuvent être spectaculaires.

Le bernard-l'hermite naît dans la mer sous forme de larve et se transforme en tout petit bernard-l'hermite qui va se réfugier dans un coquillage. Il fait pénétrer l'une de ses pinces à l'intérieur et en vérifie la grandeur. Si les dimensions lui conviennent, il fera le transfert. À chacune de ses mues, et donc lorsqu'il grandit, il devra choisir une coquille plus grosse. Lorsqu'il ne trouve pas de coquille vide, il peut s'attaquer au mollusque vivant et l'en extraire.